D0513813

Voor Janet

~ *G.R.*

Voor mijn kleinkind

~ *M.P.*

Oorspronkelijke titel: The Headless Horseman
and Other Ghoulish Tales

Voor het eerst verschenen in 2000 bij Little Tiger Press
1 The Coda Centre, 189 Munster Road, Londen SW6 6AW

Internet: www.eekhoorn.com

Vertaling: Suzanne Braam
Vormgeving: Bureau Maes & Zeijlstra, Oosterbeek
Gedrukt en gebonden in Singapore

ISBN 90 6056 851-6

DE RUITER ZONDER HOOFD

en andere griezelsprookjes

NAVERTELD DOOR MAGGIE PEARSON

ILLUSTRATIES VAN GAVIN ROWE

1,50

Inleiding

Waarom houden we van griezelverhalen? Denk je eens in hoe het ging toen die verhalen voor het eerst werden verteld. Er was nog geen elektriciteit, alleen maar het licht van een flakkerende kaars of van een kampvuur. Daarbuiten was er duisternis, vol rare schaduwen en angstaanjagende geluiden. De verteller zorgde ervoor dat de monsters – die tot dan toe onzichtbaar waren – in het licht werden getrokken, vorm kregen en veilig in een verhaal werden gestopt dat een begin had, een midden en een bevredigend einde.

Sommige verhalen komen voor over de hele wereld: de verhalen over het monster op het kerkhof of in het meer, het spook zonder hoofd, de knappe bruidegom die heel anders is dan hij lijkt... Het sprookje *Abina en de python* vertoont overeenkomsten met *Blauwbaard* en misschien ben je Jeannots reus ook tegengekomen in de avonturen van Odysseus of *Sinbad de Zeeman*. Andere vertellingen, zoals *De geraamtevrouw*, of *De weg naar Samarra* zijn specifiek voor de cultuur waarin ze voor het eerst opdoken.

Terwijl je zit te luisteren weet je wel dat de dappere, goede en slimme mensen uiteindelijk altijd zullen winnen. Maar zal dat nu ook gebeuren? Lukt het Vasilissa aan Baba Yaga te ontsnappen? Is de jongste zoon van de arme man de duivel te slim af? Tot het verhaal beëindigd is, weet alleen de verteller dat zeker.

Probeer je eens voor te stellen hoe het heel vroeger was. Je zat daar rond het kampvuur en had alleen de woorden van de verteller om je te beschermen tegen de duisternis om je heen...

Krijg er maar geen nachtmerries van!

Maggie Pearson

Inhoud

Het dappere kleermakertje

'Monsters?' riep de kleermaker. 'Monsters bestaan niet!'
'Wel waar!' zei de smid terwijl hij zijn kroes bier met zo'n klap op de tafel zette dat het maar goed was dat de kroes leeg was, anders was het bier alle kanten uit gespat.
De slager en de bakker knikten met ernstige gezichten. Ze wisten niets van monsters, maar ze wisten wel dat je met de smid beter geen ruzie kon krijgen.
'Ik zeg je dat ze niet bestaan,' zei de kleermaker. 'Hebben jullie ooit een monster gezien?'
Alle drie schudden ze hun hoofd, maar zoals de bakker beweerde, ze hadden China ook nog nooit gezien en hij wist zeker dat het land bestond.
'Iemand zou heen en weer naar China kunnen reizen,' zei de kleermaker, 'en niet één wezen tegenkomen dat op de een of andere manier voor monster zou kunnen doorgaan.'
'Zo ver hoef je helemaal niet te gaan,' zei de slager. 'Breng maar een nachtje door op ons eigen kerkhof en je ziet er een!'
'Wát zie je dan?' vroeg de kleermaker.
Ah! Dat was nu juist de vraag! Niemand had ooit de moed gehad om dat te onderzoeken.
'Het is jammer,' zei de kleermaker,

'dat ik een broek voor Lord Macdonald, de edelman, moet maken en dat ik die morgenochtend moet afleveren, anders zou ik vannacht nog naar het kerkhof gaan.'

'Dat hoeft geen probleem te zijn,' zei de smid. 'Een kleermaker kan overal werken. Ik draag je naald en draad er wel heen.'

'En hoe zie ik dan wat ik doe?' vroeg de kleermaker. 'Het is pikdonker op het kerkhof.'

'Geen probleem,' zei de bakker. 'Ik breng je een kaars, zodat je licht hebt.'

'En waar moet ik zitten? Die grafzerken zijn keihard en ijskoud.'

'Ook geen probleem,' zei de slager. 'Ik breng je wel een lekker zacht kussen om op te zitten.'

De kleermaker stribbelde nog een poosje tegen, maar na sluitingstijd brachten zijn drie vrienden hem naar het kerkhof op de heuvel. En daar lieten ze hem achter met zijn kaars, zijn kussen, zijn naald en draad en de broek voor Macdonald, die al keurig geknipt was en alleen nog maar in elkaar genaaid hoefde te worden.

De kleermaker wist dat hij niet naar huis kon sluipen, want hij was er zeker van dat de anderen hem ergens langs de weg zouden opwachten. Er bleef hem weinig anders over dan aan de broek te beginnen.

Hij was nog niet zo lang aan het werk toen het hele kerkhof begon te trillen en te schudden.
De kleermaker werkte door.
Op de muur vóór hem wierp de kaars de schaduw van een reusachtig hoofd dat uit de grond kwam. En een zware stem bulderde achter hem: 'Zie je dit hoofd?!'
De kleermaker keek niet op van zijn werk. 'Ik zal kijken,' zei hij, 'zodra ik klaar ben met mijn werk.'
Het hoofd kwam steeds verder uit de grond totdat de kleermaker de schaduw van een dikke nek eronder kon zien.
Maar hij werkte hard door.
De stem riep: 'Zie je deze nek?'
'Ik zal kijken,' zei de kleermaker, 'zodra ik klaar ben met mijn werk.'
Het hoofd en de hals rezen verder uit de grond totdat er een lange arm verscheen. De kleermaker kon de schaduw op de muur zien.
Maar hij werkte door.
'Zie je die arm?' brulde de stem.
'Ik zal kijken,' zei de kleermaker, 'zodra ik klaar ben met mijn werk.'
De schaduw op de muur werd steeds groter. Een tweede arm verscheen en het monster begon zich omhoog te drukken.
De kleermaker naaide alsof zijn leven ervan afhing. De naald vloog

heen en weer door de stof.
'Zie je dat lijf?'
'Ik zal kijken zodra ik klaar ben met mijn werk.'
En het lijf kwam uit de grond, hoger en hoger, tot er een been uit de grond kwam.
De kleermaker naaide zo vlug dat de naald in het kaarslicht niet meer te zien was.
'Zie je dat been?' schreeuwde de stem.
'Ik zal kijken zodra ik klaar ben met mijn werk.'
Nu kwam het tweede been uit de grond. Het monster wilde zich op de kleermaker werpen, maar die was net klaar met de broek. Hij brak de draad af, blies de kaars uit, sprong over de muur van het kerkhof en stormde als de wiedeweerga de heuvel af, naar het kasteel van Lord Macdonald, met het stampende monster op zijn hielen.
'Doe de poort open!' riep de kleermaker zodra de kasteelmuren in zicht kwamen. 'Doe open en laat me binnen!'
De wachters deden de poort open, stomverbaasd dat de kleermaker zo vroeg in de ochtend de nieuwe broek van de edelman kwam brengen en zoveel haast had bovendien.
De kleermaker rende naar binnen en de poort ging – geen seconde te vroeg – achter hem dicht.
Het monster kwam een seconde later aan, en moest zich met zijn twee handen tegen de muur afzetten, anders had hij zijn neus hard gestoten. De indrukken van zijn vingers zijn vandaag de dag nog te zien.
Lord Macdonald bedankte de kleermaker voor de broek en voor de prompte aflevering. Als hij vlakbij de plek waar de draad was afgehecht al een paar

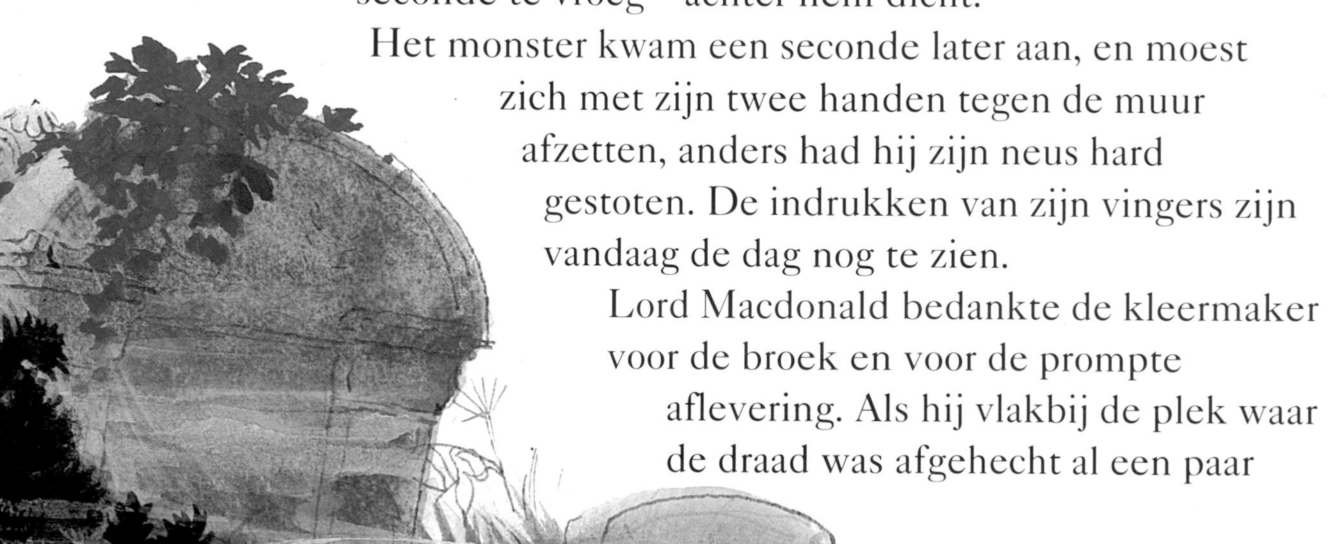

steken had gezien die een beetje groter waren dan de rest, zei hij er geen woord méér over dan de kleermaker wanneer er nadien over monsters werd gepraat. Over dat onderwerp zou je kunnen zeggen dat de kleermaker voor altijd zweeg als het graf, nee, als alle graven op het kerkhof!

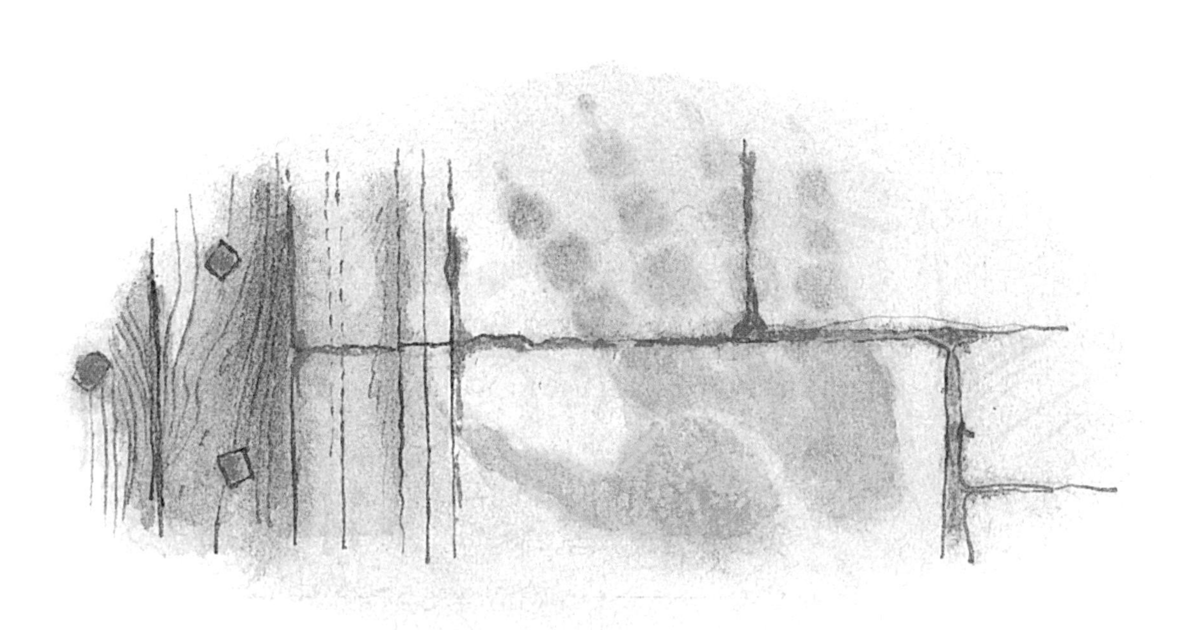

Het moerasmonster

Vroeger, in een ver verleden – de Droomtijd – was hij een man geweest. Toen deed hij iets heel slechts en hij vergat simpelweg hoe hij zijn mensengedaante moest behouden, omdat hij voortdurend dacht aan alle slechte dingen die hij had gedaan. Dus nu is hij het moerasmonster, dat alle vormen kan hebben of geen enkele vorm. Zie je die schaduw daar? Dat zou het moerasmonster kunnen zijn dat je komt pakken! Zie je dat ding daar, onder water, dat veel te groot is om een vis te kunnen zijn? Dat is het moerasmonster, zeker weten! Ga weg! Verstop je! Wat zal hij doen als hij je te pakken krijgt? Niemand weet het, want niemand die ooit door het moerasmonster gepakt is heeft het kunnen navertellen.

In het verleden – niet zo lang geleden als de Droomtijd misschien, maar toch lang geleden – was een groep mannen op jacht. Dagen en dagen waren ze al op jacht, maar ze vingen niets. Ze hadden honger en wilden naar huis. Ze konden echter niet met lege handen thuiskomen, want dan zouden ze geen leven meer hebben. Dus gingen ze zitten aan de oever van een stil binnenwater en lieten hun voeten in het water afkoelen terwijl ze zich afvroegen wat ze het beste konden doen.

Misschien moesten ze proberen een paar vissen te vangen. Dan zouden hun vrouwen minder boos zijn omdat ze zo lang op jacht waren geweest en zonder eten thuiskwamen. Daarom begonnen ze te

vissen in het diepe donkere water.
Ze vingen niets. Het vissen ging even slecht als het jagen.
'Het lijkt wel,' zei een van hen, 'of er iets in het water zit dat alle vis al heeft opgegeten.'
Terwijl ze zich nog zaten af te vragen wat dat iets kon zijn riep de jongste: 'Ik heb beet!'
Hij haalde zijn lijn binnen en de anderen dromden om hem heen om te zien wat hij had gevangen. Wat was het? Het was geen vis, dat was duidelijk. Het was ook geen baby-krokodil, noch een aal, of enig ander dier dat ze konden bedenken.
'Weet je wat ik geloof?' zei een van hen, de oudste, tenslotte. 'Ik geloof dat je een jong moerasmonster hebt gevangen.'
'Dit kleine ding een moerasmonster?' lachte de jongen.
'We beginnen allemaal klein,' zei de oude man wijs. 'Gooi hem maar terug.'
'Het water stijgt, het wordt vloed,' zei een andere man. 'We moeten gaan.'
Niemand vroeg zich af waarom het vloed zou worden zo ver van de zee af, en er was evenmin een rivier die het binnenwater vulde, en het regende ook niet. Maar het water steeg wel. Behoorlijk snel zelfs. Dus pakten de mannen hun spullen en gingen weg.
Helemaal achteraan liep de jongen met het baby-monster in zijn armen. Hij kon het niet over zijn hart verkrijgen het terug te gooien in het water. Hij dacht: moerasmonsters zijn niet zo slecht als de mensen zeggen. Als je er een ving zoals deze, zo klein nog, zou je hem toch kunnen houden, zoals je een hond houdt?
Ze gingen op weg naar huis.

En toen kwam het water.
De mannen keken om en zagen het pad achter hen onderlopen. Ze keken opnieuw en zagen dat de bosjes waar ze net nog geweest waren al in het water stonden.
Ze begonnen te rennen, maar het water bleef komen – en niet alleen het water! Een groot, donker, vormeloos ding kwam bulderend uit het water, hun richting op.
Het moerasmonster! Maar dit monster was heel groot en heel boos!
De mannen zetten het op een lopen. Achter hen, even snel, kwam het water. Het sloeg kolkend en schuimend over de rotsen, over de bomen.
En in deze watermassa ging het moerasmonster tekeer.

Het monstertje wrong zich in allerlei bochten in de armen van de jonge man.
'Wil je worden zoals hij?' fluisterde de jongen onder het rennen. 'Blijf bij mij, dan zal ik iets beters van je maken.'
Terug in het kamp kwamen de mensen uit hun hutten om te zien wat er aan de hand was. Ze zagen de mannen voor het schuimende, kolkende water uit rennen, maar ze konden hun ogen niet van het moerasmonster afhouden. Zijn gebulder was oorverdovend. Ze wilden ervandoor gaan, maar ze konden nergens heen. Het leek of de hele wereld binnen enkele seconden onder water zou staan. Het kwam al tot aan hun enkels, dan tot aan hun knieën – en al gauw zou het tot aan hun borst staan.
Toen zag de oude man wat de jongen zo voorzichtig boven water hield. Het baby-monster!

'Ik zei toch dat je hem terug moest gooien!' schreeuwde hij. 'Doe het, nu!'
De jongen deed wat hem gezegd werd. Hij liet het baby-monster in het water vallen en het zwom weg als een hondje, tot het zo dicht bij het oude moerasmonster was dat die hem kon beetpakken. En het oude monster hield op met brullen en begon te kirren – echt waar! Toen, met het kleintje weer veilig in zijn armen, draaide het grote moerasmonster zich om, keerde terug naar het stille meer en nam al het water met zich mee.
Het moerasmonster is dus – achteraf gezien – misschien toch niet zo slecht. Hij deed tenslotte alleen maar wat elke vader zou hebben gedaan als iemand probeerde zijn zoon te stelen.
Maar de mensen waren zo geschrokken van het moerasmonster dat ze voorgoed veranderden: ze bleven zwemmen terwijl hun voeten allang de grond konden raken. Ze bogen hun hals en keken naar zichzelf in het water en ze zagen dat ze geen mensen meer waren. Ze waren zwanen geworden. Zwarte zwanen.
En ze bleven zwanen. Maar als jij na de duisternis naar de rivier sluipt en luistert naar de geluiden die de zwarte zwanen maken, zou je zweren dat je mensen hoort praten.

De geraamtevrouw

In het hoge noorden, waar alleen maar ijs is en sneeuw en een grijsblauwe hemel boven een grijsblauwe zee, dobberde een bootje op het water. In het bootje zat een visser. Hij had de hele dag nog niets gevangen, maar hij zat nog steeds te vissen. Aan één visje zou hij genoeg hebben. Hij hoefde voor niemand te zorgen en geen sterveling zou ongerust zijn als hij heel laat of helemaal niet thuis kwam. Een traan rolde langs zijn wang toen hij daaraan dacht. Hij veegde de traan vlug weg en ging door met vissen.
Plotseling werd zijn lijn strakgetrokken. Hij had beet! En het was geen kleine vis ook, zag hij toen hij de vis voorzichtig binnenhaalde. Deze vis was groter dan de meeste vissen, maar kleiner dan een zeehond. En wit – witter dan wit. Wat was het, daar onder water? Het leek wel een vrouw.

Het geraamte van een vrouw!
Ze dook op uit het water, vlak voor zijn neus en grijnsde over de rand van het bootje tegen hem, terwijl ze zich met haar benige vingers probeerde vast te klampen. Hoe lang had ze op de zeebodem liggen deinen met de zeestromingen mee, terwijl de grote vissen het vlees van haar botten knabbelden en de kleintjes speelden tussen haar ribben? Ze wist het niet. Ze wist alleen maar dat het een goed gevoel was weer terug te zijn in de wereld van de levenden!

'Ga weg!' riep de visser angstig. Hij liet zijn vislijn vieren, greep zijn peddel en sloeg haar net zo lang tot ze de boot losliet. Toen peddelde hij zo hard hij kon naar het strand terug.

Hij werd gevolgd door het vrouwengeraamte dat met haar benige armen zwaaide alsof ze wilde roepen: 'Wacht op mij! Wacht op mij!'

De man peddelde harder en het vrouwengeraamte rende met rammelende botten door het water achter hem aan, waarbij ze wild met haar hoofd schudde.

'Wacht op mij!'

Op het strand sprong de visser uit de boot, greep zijn vishengel en zette het op een lopen over de ijzige, besneeuwde vlakte, tot hij thuis was.
Hij kroop naar binnen terwijl zijn hart bonkte in zijn keel. Eindelijk was hij veilig, verborgen in zijn witte iglo midden in de witte sneeuw.
Na een poosje voelde hij zich iets beter. Hij begon zijn vislijn te ontwarren en rolde het op tot een keurig balletje.
Toen hoorde hij buiten het gerammel van botten en even later kroop het vrouwengeraamte zijn iglo binnen!
De visser hield op met werken. Zijn hart ging weer als een razende tekeer. Het vrouwengeraamte was heel stil. Heel geduldig zat zij – een bundeltje botten – geduldig te wachten. Toen zag hij wat er gebeurd was. Ze kon hem niet zien want de vissen hadden haar ogen lang geleden al opgegeten. Ze kon hem zelfs niet horen, want ze had geen oren. Hij had haar zelf meegesleept omdat ze verward zat in de vislijn.
De visser had medelijden met haar. Daarom begon hij haar zachtjes

en voorzichtig te bevrijden uit de vislijn. Het duurde heel lang. Maar tenslotte had hij haar botten goed neergelegd. Toen kroop hij terug naar zijn kant van de kleine sneeuwhut.

Het geraamte richtte zich op van de plek waar de visser haar had neergelegd en bleef daar zitten, met botten die rammelden van kou en angst, totdat hij haar een paar stukken bont toegooide. 'Draai je daar maar in,' zei hij, 'en laat mij rustig slapen!'

Terwijl de visser sliep rolden er weer een paar tranen van eenzaamheid over zijn wangen.

De geraamtevrouw kon niet zien, horen of ruiken – maar ze voelde dat hij huilde. En ze had dorst. Ze kroop naar de man toe en begon te drinken. En die paar tranen werden een rivier vol levenswater. Ze lag op zijn borst en hoorde zijn hart slaan als een trommel. En het ritme van die trommel trilde door haar botten als een lied dat het vlees op haar botten zong en het haar op haar hoofd. Haar ogen konden weer zien en haar oren horen en haar eigen hart klopte en klopte en klopte...

Toen de man wakker werd was er geen geraamte meer, maar een echte, levende vrouw en hij wist dat hij nooit meer eenzaam zou zijn.

Ze bleven hun hele leven bij elkaar en de vissen die zich op de zeebodem aan haar tegoed hadden gedaan zorgden ervoor dat de visser en zijn vrouw nooit meer honger hoefden te hebben.

De mensen uit het noorden vertellen dit sprookje – en ze zweren dat het waar is!

De schaduw

Een geleerde uit het koude noorden ging naar het zonnige zuiden om er te gaan wonen. Natuurlijk ging zijn schaduw mee. De verandering deed hun allebei goed. Overdag zochten ze schaduwplekjes op, waar het koel was. En zodra de zon onderging en de lampen aangingen, maakten ze een wandeling. Eerst naast elkaar, maar na een poosje rende de schaduw vooruit of hij bleef achter om iets dat zijn meester had gemist beter te kunnen bekijken. Hij klom zelfs tegen muren op om te kijken wat er aan de andere kant gebeurde.
Op een avond zei de geleerde tegen zijn schaduw: 'Vooruit, ga maar eens een keer lekker in je eentje op pad!'
Dat liet de schaduw zich geen twee keer zeggen. De geleerde voelde iets aan zijn hielen trekken en toen was de schaduw verdwenen.
De volgende avond kwam de schaduw niet terug, noch de avond daarop of welke avond daarna dan ook. Verdrietig reisde de geleerde terug naar het grijze noorden waar een man zonder schaduw niet zo opvalt.

Jaren gingen voorbij. Op een avond werd er laat bij de geleerde aangeklopt. Buiten stond een lange, knappe, donkere man, helemaal in het zwart gekleed.
'Ken je me nog?' vroeg de man. 'Ik was vroeger je schaduw.'
'Oh!' De geleerde begon te stralen. 'Wat ben ik blij je te zien. Ik wist dat je uiteindelijk terug zou komen.'
Met een hooghartige glimlach schudde de schaduw zijn hoofd. 'Nee, nee! Ik ben niet gekomen om mijn vroegere baantje terug te krijgen. Ik ga terug naar het zuiden. Heb je zin om mee te gaan?'
'Ja, graag,' antwoordde de geleerde.
En zo gingen de twee op weg, naast elkaar. Maar deze keer leek de warme zon de geleerde helemaal geen goed te doen. Elke dag werd de schaduw tegen de avond groter, sterker en levendiger, terwijl de geleerde wegkroop in een hoek en nauwelijks werd opgemerkt.
Elke avond zat de schaduw te eten, te drinken en te praten met voorname mensen. Hij danste met mooie vrouwen en zelfs met een prinses. De prinses had altijd gedacht dat ze goed kon dansen, maar deze man was nog eleganter. Het leek of zijn voeten de grond nauwelijks raakten. Hij was zo gracieus, zo knap en zo mysterieus, en altijd gekleed in plechtig zwart. Maar waar was zijn schaduw?

'Mijn schaduw?' De schaduw glimlachte. 'Zie je die kleine man daar in de hoek? Dat is mijn schaduw. Hij mag zich van mij kleden als een man, hoewel iedereen ziet dat hij maar een schaduw is. Maar zeg er maar niets over. Dat is te pijnlijk voor hem.'
'Wat is hij aardig!' dacht de prinses. 'Maar is hij ook een wijs man?'
Ze was bezig verliefd te worden op de schaduw, maar de man met wie ze trouwde moest wijs zijn omdat hij ooit koning zou worden.
Ze begon hem vragen te stellen. 'Waarom is de zee zout? Waarom is de lucht blauw?' De schaduw wist het niet en het liet hem koud, maar hij was slim genoeg om dat niet te zeggen.
'Ik heb al die dingen lang geleden geleerd,' zei hij schouderophalend. 'Zelfs mijn schaduw zou je de antwoorden kunnen vertellen als je hem die vragen stelde.'
De arme geleerde was blij dat iemand aandacht aan hem besteedde. Hij beantwoordde alle vragen van de prinses.

'Wat is mijn geliefde wijs!' mompelde ze terwijl ze wegliep. 'Zelfs zijn schaduw is wijs. Dit is een heel geschikte man voor mij!'
Toen de geleerde hoorde dat de prinses zou gaan trouwen met zíjn schaduw was voor hem de maat vol.
'Dit kan zo niet doorgaan,' zei hij tegen de schaduw. 'Als jij haar de waarheid niet vertelt doe ik het.'
De schaduw schudde zijn hoofd. 'Ze zal het niet geloven.'
Ze geloofde het inderdaad niet. Toen de geleerde tegen haar zei dat hij de man was en de andere zijn schaduw, riep ze dat hij krankzinnig was en liet hem in de diepste, donkerste kerker gooien.
'Het is mijn schuld,' zei de schaduw verdrietig toen ze het hem vertelde. 'Hij deed maar of hij een mens was en ik vond het goed. Van nu af aan moet ik leven zonder schaduw. Hou je nog van me, ook als ik geen schaduw heb?'
Natuurlijk deed ze dat! Al gauw trouwden ze. De klokken luidden. Er was vuurwerk en muziek en iedereen danste. Maar de arme geleerde hoorde er niets van. Hij was, zoals men dat zegt, niet meer dan een schaduw van zichzelf, verloren in de diepste, donkerste kerker.
Hij kwijnde weg tot er niets meer over was dan één diepe zucht.

De begraven Maan

Avond aan avond bescheen Maan de aarde en vond haar prachtig. Zomer en winter wierp ze haar zachte licht over land en zee, over velden en hagen en over de boerderijen met de rokende schoorstenen. Dieren liepen stilletjes door de wei in haar licht en mensen gingen 's avonds op hun gemak naar huis, helemaal niet bang.
Maar als wolken haar gezicht bedekten en Maan niet naar beneden kon kijken vroeg ze zich af wat er dan gebeurde op aarde. Op een avond wikkelde ze zich in een mantel van de donkerste nacht en bedekte met de kap haar lichtblonde haar dat straalde als de sterren. Een manestraal schoot van haar zilverachtige voeten. En langs deze straal wandelde Maan van de hemel naar de aarde.
Ze keek om zich heen. Waar waren de hagen en de kabbelende beekjes? Waar waren de boerderijen en de dieren in de wei? Niet hier. Ze was op een kwade plek beland: in het moeras. Als een slechte huisvrouw veegt Aarde al haar rommel weg in donkere hoeken en onder stenen – boemannen en vogelverschrikkers, geesten, kwelduiveltjes en dwaallichtjes en vormeloze dingen waar geen mens een naam voor weet te bedenken.
Eerst rook Maan hen. Het was de koude vochtige lucht van rotting. Toen hoorde ze hen: het gefluister, gekreun en gegil in de nacht.

Toen kropen en slopen de glibberige, slijmerige dingen uit het moeras en kwamen achter haar aan. En voordat ze ervandoor kon gaan greep iets haar bij haar voet en liet haar niet meer los. Ze schreeuwde – en hoorde iemand terugschreeuwen!

Een reiziger die verdwaald was in het moeras kwam naar haar toe, door plassen met een dikke laag slik erop en over smalle paden waar hij tot zijn enkels in wegzakte. Niet hierheen! Hier raakte je alleen maar dieper in het moeras. Maan gooide haar kap naar achter, zodat de reiziger wat licht kreeg en alle kruipende griezels teruggleden in hun holen.

Ze had de reiziger kunnen roepen en vragen of hij haar gevangen voet wilde bevrijden, maar dat kwam pas bij haar op toen hij weg was. Dus probeerde ze zich los te rukken uit de wortels waarin ze verward was geraakt, tot de kap weer over haar gezicht viel. In het donker verzamelden de glibberige,

slijmerige dingen opnieuw moed en kropen weer uit hun holen, boos op Maan die het plezier had bedorven dat ze met de reiziger hadden willen hebben voordat ze hem de dood in sleurden.
Ze knepen haar en sloegen haar. Ze legden een grote steen op haar zodat ze niet kon ontsnappen, en zetten een dode boom bij haar hoofd als bewaker. Ze plaagden en sarden haar tot het licht werd en de eerste stralen van Zon hen terugjoeg naar hun holen.
Daar lag Maan, avond na avond, terwijl de mensen verbaasd naar de lucht keken. De hemel was helder en met sterren bezaaid. Waar was Maan? Een groep mannen ging naar een wijze vrouw die aan de rand van het moeras woonde en een van hen vroeg: 'Waar is Maan gebleven? Hoe kunnen we haar terughalen?'
'Vraag het mij niet,' zei de wijze vrouw. 'Dit is nooit eerder gebeurd, dus ik weet niet hoe het weer goed moet komen.'
De mannen gingen weg en vroegen zich af wat ze nu konden doen.

Dat duurde dagen, tot ze hoorden van een reiziger die zo diep in het moeras verdwaald was dat hij alleen nog verwachtte er de dood te vinden, maar die gered was door een helder licht dat over het water scheen. Dat vertelden ze aan de wijze vrouw en die zei: 'Dat is toch duidelijk? Maan zit ergens gevangen in het moeras. Maar bij daglicht zul je haar nooit vinden.'
Wat nu! Moesten ze 's nachts naar het moeras gaan waar de kruipende griezels op de loer lagen, je probeerden te grijpen, zich aan je vastklemden en tapijten van dik mos neerlegden die veranderden in een veenmoeras en je naar beneden zogen op het moment dat je er ook maar één voet op zette?
'Jullie zijn redelijk veilig als je drie dingen doet,' zei de wijze vrouw. 'Ten eerste moet je allemaal een hazelaarstak in je hand dragen. Ten tweede moeten jullie een steentje in je mond hebben en absoluut geen woord zeggen tot jullie haar gevonden hebben. Ten derde moeten jullie niet links of rechts kijken of achter je, maar doorlopen tot je komt bij een kruis, een doodskist en een kaars.'
'En dan?'
'Dan weet je wat je moet doen.'

Zodra het donker was vertrokken ze, elke man met een hazelaarstak in zijn hand en een steentje in zijn mond. Het moeilijkste was nooit om te kijken, of links of rechts, terwijl ze wisten dat de glibberige, slijmerige nachtwezens op de loer lagen en wachtten...

De mannen liepen diep het moeras in tot ze bij een dode boom kwamen die zijn takken gespreid hield in de vorm van een kruis. Aan de voet scheen een vaag licht, als kaarslicht, van onder een zware steen die de vorm had van een doodskist.
Hier moest het zijn!
Samen schoven ze de steen heen en weer en tilden hem iets omhoog totdat het kaarslicht helderder werd en bijna evenveel licht verspreidde als een lamp. Ze tilden de steen verder op totdat het licht leek op het licht van de zon diep in het woud. Toen kantelde de steen tenslotte en ze werden bijna verblind door het heldere licht van Maan die de lucht in sprong.
Maan was nog een beetje bang. Ze liet niet haar hele gezicht zien, maar gluurde om de rand van haar kap heen. Morgen zou ze zich wat moediger voelen.
De dag daarna nog moediger.
De mannen bogen voor de nieuwe Maan. Wie munten in zijn zak had haalde ze eruit, draaide ze om en stopte ze terug. Toen draaiden ze allemaal drie keer in het rond (want dat kon je veilig doen nu de nachtwezens waren teruggekropen in hun holen) en iedereen deed een wens. Niet één van hen sprak die hardop uit, maar het is bijna zeker dat ze allemaal dezelfde wens hadden gedaan.
En die wens kwam uit, want vanaf die dag is Maan veilig aan de hemel blijven staan en nooit meer op reis gegaan.

Abina en de python

Abina was mooi. Abina zong zo prachtig dat ze de vogels uit de bomen zong. Abina was trots als een koningin.
Elke dag deden er mannen hun best haar te veroveren, maar de trotse Abina lachte hen uit. De ene man was zo lang dat ze hem kon gebruiken als bonenstaak. De andere had zulke grote oren dat ze hem moest vastzetten zodra er wat wind stond, anders vloog hij weg. De mannen gingen allemaal teleurgesteld naar huis.
Abina besloot dat ze alleen maar met een prins wilde trouwen.
Haar ouders schudden hun hoofd en zuchtten: 'Abina, we zijn maar gewone mensen.' Maar Abina bleef wachten op haar prins die haar mee zou nemen naar zijn koninkrijk, ver, ver weg. Ze maakte liedjes over hem. Gracieus zou hij zijn, als grashalmen die heen en weer zwaaiden in de wind. Zijn stem zou zoet zijn als de smaak van honing en zijn ogen groen en schitterend als smaragd. De vogels luisterden naar haar lied en ze namen het mee op reis naar het noorden en het zuiden, het oosten en het westen.
Op een dag kwam een jonge man zo stilletjes en rustig over de vlakte aan, en hij glansde zo in de middagzon, dat Abina zich aanvankelijk afvroeg of dit niet een luchtspiegeling was. Sierlijk als de grashalmen in de wind bewoog hij zich voort, zijn stem was als de smaak van honing in haar mond en zijn ogen waren groen en schitterden als smaragd.

En hij was een prins – zei hij – van een land ver hier vandaan.

Als Abina niet zo kieskeurig was geweest, hadden haar ouders misschien iets meer over hem willen weten. Waarom zou een prins helemaal in zijn eentje hierheen komen, alleen maar om Abina tot zijn vrouw te maken? Maar ze trouwden en Abina en haar mooie nieuwe man vertrokken naar diens koninkrijk met eten voor de reis, zaaikoren om te planten als ze er waren, een paar varkens, schapen en een paar koeien.

Toen ze de eerste avond stopten om te rusten at Abina's nieuwe man al het eten op. De tweede avond verdween al het zaaikoren in zijn mond. En de derde, vierde en vijfde

avond verdwenen de varkens, de schapen en de koeien langs dezelfde weg. De arme Abina at niet meer dan een paar bessen die ze onderweg had kunnen plukken.
Haar nieuwe man werd niet dikker van al het eten, maar het scheen hem wel naar beneden te drukken. Hij zakte steeds dieper naar de grond, maar hij was nog net zo gracieus als de grashalmen in de wind. Hij zocht lenig zijn weg tussen stenen en rotsblokken, terwijl Abina erover struikelde. Haar vermoeide voeten zaten vol bloedende schaafwonden.
Ze kwamen bij het bos en haar man zocht nog steeds zijn weg, onder, over en tussen kronkelende takken en allerlei klimplanten, nauwelijks een blaadje rakend, terwijl Abina hem met moeite volgde. Tenslotte kwamen ze bij een donkere, zompige rivier, waarvan het

water zich traag en stilletjes voortbewoog. Voor zover Abina kon zien was er nergens een plaats waar ze de rivier konden oversteken.
'Waar gaan we nu heen?' vroeg ze.
'Nergens heen,' siste hij. 'Dit is mijn koninkrijk.'
In de enige streep zonlicht die door de bladeren heen kon dringen strekte haar man zich uit op een tak boven het zompige, donkere water. Hij sloeg zijn staart om de tak.
Zijn staart? Ja, want Abina's nieuwe man was helemaal geen man maar een reusachtige python! Alleen zijn ogen bleven dezelfde. Ze schitterden koud en hard als smaragd.
'Dit is je nieuwe woning,' zei hij. 'Welkom!' Hij streek met zijn tong langs een gat in de oever. Abina gluurde in het gat. Ze zag spinnen alert zitten te wachten in hun webben en kevers die wegschoten naar alle kanten en wormen die de aarde omwoelden.
'Daar ga ik toch niet wonen!' fluisterde ze.
'Jawel!' siste de python. 'Dat doe je wel, want je bent mijn vrouw!'

Twee grote tranen rolden langs Abina's wangen.

'Je zei dat je een prins was,' snikte ze.

'Ben ik ook,' fluisterde hij. 'Dit is mijn koninkrijk. Iedereen gehoorzaamt me hier – en jij dus ook.'

Arme Abina. Wat zou er met haar gebeuren op deze donkere, eenzame plek als ze niet deed wat hij zei? Zou hij zijn grote pythonlijf om haar heen draaien en het leven heel langzaam uit haar persen? Zou hij haar levend opeten? Abina wilde het niet weten. Ze kroop in dat griezelige, donkere, vochtige, modderige gat in de oever. En daar bleef ze.

Elke dag als de zon door de bladeren scheen, draaide de python zich om zijn lievelingstak en riep hij de dieren uit het bos bij elkaar om zijn prachtige mensenvrouw te bewonderen.

'Ze is bijna even mooi als ik,' schepte hij op.

De dieren hadden medelijden met Abina, maar wat konden ze doen? De python zou hen met huid en haar opvreten.
Soms brachten ze Abina kleine dingetjes om op te eten. Soms spoelde er een vis aan voor haar, maar er was geen vuur waarop ze die kon bakken. Meestal knabbelde ze aan de wortels die in het hol hingen. Soms kreeg ze zo'n honger dat ze zelfs de slakken en kevers opat die over de grond kropen.
Nu zong Abina een ander liedje – zo droevig, zo treurig! Ze zong over haar thuis, zo ver weg en over alle mannen met wie ze had kunnen trouwen als ze maar niet zo trots was geweest.
De vogels streken neer om te luisteren en droegen haar liedje naar het oosten en het westen, het noorden en het zuiden, tot een vogel op een dag in het dorp van Abina's vader en moeder kwam.
Abina's ouders hoorden het liedje van de vogel en begrepen het. Abina had hun hulp nodig. Ze vroegen hun buren mee en, gewapend met bijlen, messen en stokken, volgden ze de vogel tot ze ten slotte bij de oever van die diepe, donkere rivier kwamen.
Ze hoorden hun dochter haar treurige liedjes zingen vanuit haar bedompte holletje in de oever. Ze zagen de python op de tak in de boom liggen en herkenden hem aan zijn smaragdgroene ogen.
En ze maakten korte metten met hem – inderdaad! Ze sloegen hem tot hij morsdood was. Toen hakten ze de tak van de boom en zagen hoe de rivier de tak meesleurde met het bloedende lijf van de python er nog omheen gedraaid.

Ze bevrijdden Abina uit haar gevangenis. Ze was broodmager en liep gebogen als een oude vrouw. Ze droegen haar naar huis en gaven haar genoeg te eten tot ze weer even mooi was als de dag waarop ze vertrok. Maar ze was niet meer diezelfde, trotse Abina. Als welke man dan ook – jong of oud – haar gevraagd had zijn vrouw te worden, zou ze ja hebben gezegd, echt waar!

Maar niemand vroeg haar, want wie zou met een meisje willen trouwen dat de bruid van een python was geweest?

Blauwbaard

Hij was mooi, rijk en slim en zijn baard was hardblauw. En hij wilde trouwen. Maar het meisje op wie hij zijn oog had laten vallen wilde niet trouwen met een man met een blauwe baard! Nooit! Zodra Blauwbaard maar voor de deur stond verstopte ze zich met haar zusje Anna, hopend dat hun gegiechel hen niet zou verraden.
Blauwbaard had geduld. Hij nodigde de hele familie uit voor een bezoek. En toen het meisje het mooie kasteel zag waarin hij woonde en het land dat hij bezat, dat aan alle kanten reikte tot de horizon, besloot ze dat een blauwe baard iets was waar ze waarschijnlijk wel aan zou wennen.
En daarom trouwden ze. Al gauw moest Blauwbaard voor de koning op reis. Hij gaf zijn vrouw zijn sleutels en zei: 'Mijn huis is jouw huis. Ga alle kamers binnen die je maar wilt, behalve de kleine kamer aan het einde van de lange gang.' Toen vertrok hij.
Anna kwam om haar zusje gezelschap te houden en samen dwaalden de meisjes door het kasteel, van de zolder tot de kelder.
Ze bewonderden de meubels, de schilderijen en de wandkleden, en het uitzicht vanuit elk raam. Maar elke keer als Blauwbaards vrouw langs de kleine kamer aan het einde van de gang liep, leek het of de deur fluisterde: 'Maak me open! Maak me open! Blauwbaard komt het niet te weten!'

Ze kon gemakkelijk zien welke sleutel het moest zijn. Het was de kleinste van allemaal. Als ze even naar binnen gluurde hoefde haar man dat toch nooit te weten?
Ze maakte de deur open. Eerst kon ze niets zien. Maar toen haar ogen aan het donker gewend waren zag ze een stapel damesschoenen. En toen een hoop jurken. En de jurken en schoenen zaten allemaal onder het bloed. En het ergste van alles: er lagen trouwringen, een, twee, drie, vier, meer dan ze kon tellen.
Haar ogen werden groot van afschuw. Hoe vaak was Blauwbaard getrouwd geweest? Hoeveel vrouwen zou hij vermoord hebben?
Ze gooide de deur dicht en draaide hem haastig op slot. Toen zag ze dat de kleine sleutel vol bloed zat. Ze veegde het bloed weg met haar zakdoek, maar het kwam terug. Ze rende volkomen overstuur door de gang naar de keuken. Daar spoelde ze de sleutel af. Ze schuurde hem met paardenhaar en wreef hem met as. Ze wikkelde hem in ragfijn weefsel om de stroom te stoppen, maar de sleutel bleef tranen van bloed huilen.
'Ik hoor Blauwbaard thuiskomen!' riep haar zusje en even later hoorde ze de stem van haar man die haar naam riep.
Geschrokken rende ze naar boven om de met bloed bevlekte jurk uit

te trekken en de kleine sleutel op de bovenste plank in haar kleerkast te verstoppen.
Hij was zo piepklein. Misschien zou Blauwbaard het niet merken dat hij ontbrak? Maar hij merkte het wel. Blauwbaard hoefde maar even te kijken naar de sleutelbos die ze hem overhandigde, voelde het gewicht en zei: 'Je bent daar geweest waar je geen recht had te komen. Je hebt dingen gezien die je niet mocht zien.'
Lijkbleek en trillend over haar hele lijf probeerde zijn vrouw tegen hem te zeggen dat het niet waar was. De sleutel was zo klein dat ze hem ergens moest hebben laten vallen.
'Dan gaan we zoeken,' zei Blauwbaard. 'En wel meteen.'
Hij gooide de deur van de kleerkast open en daar hingen al haar jurken, bevlekt met bloed door de kleine sleutel die op de bovenste plank lag te druppelen.
'Goed,' zei Blauwbaard. 'Nu we de sleutel hebben gevonden, zul jij je bij mijn andere vrouwen voegen.'
Hij greep haar bij haar haar en trok zijn zwaard.
'Toe, alsjeblieft,' smeekte ze. 'Geef me even de tijd om te bidden voor ik sterf! Een uur, meer niet.'
Binnen een uur – wist ze – zouden haar broers er zijn om hun zusje Anna op te halen.

'Een uur?' schreeuwde hij. 'Nee!'
'Een halfuur dan. Een kwartier!'
'Ik geef je de helft van een kwartier.'
Zodra ze alleen was riep ze zachtjes naar haar zusje die op de toren stond te kijken of haar broers al kwamen.
'Zuster Anna, zie je al iets komen?'
Anna antwoordde: 'Nee, ik zie de zon, het groene gras en de zandweg.'
De minuten verstreken maar elke keer dat ze riep was het antwoord hetzelfde. Anna zag alleen maar de zon, het groene gras en de zandweg.
Nu hoorde Blauwbaards vrouw haar man de trap op komen.
'Zuster Anna, zie je al iets komen?'
'Ik zie de zon, het groene gras en een stofwolk in de verte.'
'Zijn het onze broers?'
'Nee, een kudde schapen, meer niet.'
Nu hoorde ze Blauwbaards voetstappen op de gang.
'Zuster Anna, zie je al iets komen?'
'Ik zie de zon, het groene gras – en een kleine stofwolk in de verte. Het zijn twee ruiters.'
Ze hoorde dat haar man op de gang zijn zwaard stond te scherpen aan de stenen lijst rond de deur.
'Zijn het onze broers?'
'Ja en ze komen in galop!'
Blauwbaard draaide de sleutel om in het slot en gooide de deur open. Met twee stappen stond hij voor zijn vrouw.
Ze gilde zo hard dat haar twee broers haar bij de kasteelpoort konden horen.

Blauwbaard greep zijn vrouw bij haar haren en hief zijn zwaard.
De broers reden in galop door de poort en renden de trappen op. Op het moment dat Blauwbaard op het punt stond zijn vrouw te onthoofden stormden ze de kamer binnen om haar te redden.
Toen ze met Blauwbaard hadden afgerekend was er nauwelijks iets van hem over om aan de honden te voeren.
De vogels pikten het vlees van zijn botten en trokken de blauwe haren uit zijn baard om er hun nestjes mee te bouwen.
En Blauwbaards vrouw verliet het afschuwelijke kasteel en kwam er nooit meer terug.

De ruiter zonder hoofd

In het holst van de nacht als de schaduwen het donkerst zijn, de sterren schitteren en de wind de wolken in het gezicht van de maan blaast, rijdt de ruiter zonder hoofd over het Slaperige Slingerpad. Onzin! Ik hoor het je zeggen. Maar probeer eens in je eentje 's nachts over dat pad te rijden als het krassen van een kraai klinkt als de roep van een arme verdwaalde man. Als de glimwormen op knipperende ogen lijken en het ruisen van de takken klinkt als rammelende mensenbotten. Als je denkt het geluid van paardenhoeven te horen op het pad achter je.

Zo verging het Ichabod Crane die vroeger schoolmeester was in die streek. Een gestudeerd man, een verstandig man – behalve als hij toevallig 's nachts over het Slaperige Slingerpad reed. Dan zong hij altijd hard om zichzelf te bemoedigen. Hij had een mooie stem: er waren tijden dat de leden van het kerkkoor zondags in de kerk met open mond bleven zitten, terwijl ze hem in zijn eentje lieten doorzingen.

En dansen dat hij kon! Zodra hij op de dansvloer stapte dromden de bedienden samen voor de ramen en in deuropeningen, alleen maar om Ichabod Crane te zien springen en huppelen.

Ichabod was niet van plan zijn hele leven schoolmeester te blijven. Hij had zijn zinnen gezet op Katerina van Tassel, de dochter van de rijkste boer uit de omgeving.

Katerina zei geen ja en geen nee. Maar ze glimlachte zo lief tegen Ichabod dat Brom Bones groen werd van jaloezie. Brom Bones had besloten dat Katerina het ideale meisje voor hem was op de dag dat hij haar zijn lievelingskikker voor haar verjaardag had gegeven en zij Brom in de paardentrog had gegooid omdat hij de kikker in haar jurk had gestopt.

Tijdens het feest op Halloween in de schuur van Van Tassel danste Ichabod de sterren van de hemel. Met zijn liedjes wekte hij alle vogels die zaten te slapen op de dakspanten. En zodra bij het open haardvuur de spookverhalen aan bod kwamen had Ichabod er ook een paar te vertellen.

Toen stond Brom Bones op en vroeg: 'Heb je ooit gehoord van de ruiter zonder hoofd op het Slaperige Slingerpad?'

Ichabod knikte.

'Heb je hem ooit gezien?' vroeg Brom Bones. 'Ik wel, afgelopen herfst toen ik naar huis reed. Ik was helemaal niet bang! Ik deed een wedstrijd met hem, wie het hardst kon rijden, en ik heb het gewonnen ook. Maar toen we bij de brug over de rivier kwamen, zag ik opeens een grote vlam, waarin hij verdween.'

'Echt waar?' vroeg Ichabod.

'Ja!' riep Brom Bones. 'Net zo waar als dat ik hier dit verhaal sta te vertellen!'

'Wat een moed!' zuchtte Katerina, terwijl ze Brom met glanzende ogen aankeek.

'Ha, ha!' zei Ichabod, die er geen woord van geloofde, tenminste niet tot hij zelf in zijn eentje langs het eenzame Slaperige Slingerpad naar huis reed.
De nacht leek donkerder dan anders. Hij hoorde de uil roepen en de krekels sjirpen. Hij probeerde een liedje te zingen om de moed erin te houden, maar zijn stem klonk zo beverig dat hij alleen maar nog banger werd.
Het had een opluchting moeten zijn toen een andere ruiter naast hem kwam rijden, die dezelfde weg naar huis nam. Maar op de een of andere manier luchtte het hem niet op. Er was iets met die ruiter.
'Goedenavond,' zei Ichabod. Klonk zijn stem maar niet zo beverig.
Geen antwoord.
'Bent u vanavond ook op het feest bij Van Tassel geweest?'
Nog steeds geen antwoord.
'Het is een mooie nacht. Heel zacht voor de tijd van het jaar!'
Geen antwoord.
Toen drukte Ichabod zijn hielen in de buik van zijn paard om het dier tot grotere snelheid aan te sporen.
De andere ruiter bleef naast hem rijden. Ichabod hield in om de ander voorop te laten rijden. Maar dat deed de ander niet.
Naast elkaar reden ze door zonder een woord te zeggen. Toen kwam de maan vanachter een wolk tevoorschijn en kon Ichabod zijn gezelschap duidelijker zien. Hij was een grote man met brede schouders.
Maar zonder hoofd!
Ichabod schreeuwde, gaf zijn paard de sporen en ging er in galop vandoor. Maar de ander kwam met een woest 'Jahoeoe!' achter hem aan.
En daar galoppeerden ze over het Slaperige Slingerpad, Ichabod Crane gevolgd door de ruiter zonder hoofd, naar de oude brug.

Wat had zijn rivaal Brom Bones ook weer verteld over de brug in die nacht dat hij de ruiter zonder hoofd had uitgedaagd voor een wedstrijd? Toen ze bij de brug kwamen was het spook in een grote vlam verdwenen!
Ichabod moest dus bij de brug zien te komen. Achter hem reed de ruiter in galop. Ichabod voelde diens adem in zijn nek en hoorde het gedreun van de spookhoeven in zijn oren. Toen hij bij de brug kwam durfde hij om te kijken en hij zag dat de ruiter zijn afgehouwen hoofd uit zijn mantel haalde en het door de lucht naar hem toe gooide!

De volgende dag werd Ichabods paard gevonden, terwijl het kalm stond te grazen bij de brug. En van Ichabod Crane was alleen maar zijn hoed over die vlakbij het paard in het gras lag. Ze vonden ook een Halloween-pompoen waarin ogen en mond uitgesneden waren. Maar wat die te maken had met de vreemde verdwijning van de schoolmeester heeft nooit iemand begrepen.
Niet lang daarna trouwde Katerina met Brom Bones, zoals ze altijd van plan was geweest.
Sommige mensen zeggen dat Ichabod Crane die nacht de stad uitreed toen hij begreep dat Katerina hem niet wilde hebben, maar anderen weten wel beter. Zij zeggen dat de ruiter zonder hoofd hem te pakken kreeg. Ze zeggen dat als je in het donker, in het holst van de nacht, over het Slaperige Slingerpad durft te rijden en luistert naar het geluid van trappelende hoeven, je misschien ook de stem van Ichabod Crane hoort die een liedje zingt om de moed erin te houden.

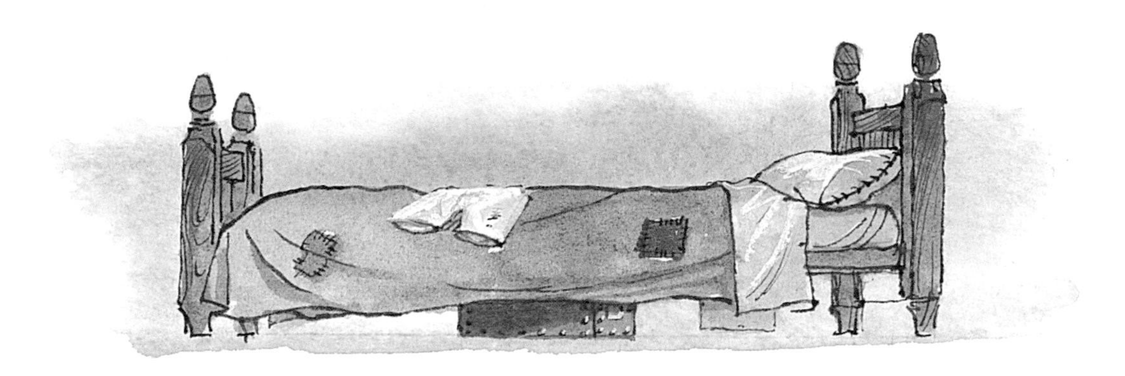

Afspraak is afspraak

Er was eens een arme man wiens vrouw was gestorven. Ze had hem met drie zoontjes achtergelaten. De man deed zijn best zowel vader als moeder voor de jongens te zijn. Overdag nam hij elk werk aan dat hij maar kon krijgen, opdat hij genoeg zou verdienen om hen allemaal genoeg te eten te geven. 's Avonds kookte hij, maakte schoon, verstelde hun kleren en vertelde verhaaltjes. Maar de taak viel hem zwaar.

Hij had maar één wens en dat was dat zijn zonen een gemakkelijker leven zouden krijgen dan hij. Zodra het even kon stopte hij wat geld weg in het oude kistje dat onder zijn bed stond. Hij hoopte dat hij op een dag genoeg zou hebben om de jongens een studie te laten volgen. De ellende was dat hij het gespaarde geld altijd weer uit moest geven. Een van zijn zonen had een paar nieuwe schoenen nodig, of de aardappelen of knollen waren op en dan hadden ze weer een nieuwe voorraad nodig. Opgroeiende jongens konden niet van de lucht leven.

'O, ik heb er lichaam en ziel voor over om mijn drie jongens te laten studeren!' riep de man op een dag, terwijl hij het deksel van het kistje dichtdeed, nadat hij er geld uit had gehaald voor melk.

'Meen je dat?' vroeg een zachte stem vanuit de hoek van de kamer. 'Lichaam en ziel, zei je?'

De man draaide zich om en zag – hoewel de deur en de ramen dicht waren – een man staan die, op de vuurrode voering van zijn mantel na, helemaal in het zwart was. Hij kleedt zich altijd elegant, de oude Satan.
'Zou je er echt lichaam en ziel voor over hebben?' herhaalde de oude Satan.
'Ja!' zei de man, hoewel hij wist dat hij het tegen de Duivel zelf had. 'Ik heb er mijn lichaam en ziel voor over om mijn jongens te kunnen laten studeren.'
'Afgesproken,' zei de oude Satan. Hij stak zijn hand uit en de man drukte die. De hand was ijskoud.
'Ik kom over tien jaar terug om je op te halen,' zei de oude Satan. Toen verdween hij.
De man opende het kistje onder zijn bed en zag dat er genoeg geld in zat, en nog ruim extra om elk van de jongens te laten studeren.
Dus gingen ze naar goede scholen. Na enige tijd werd er eentje dokter, eentje priester en de derde advocaat.
De man vertelde zijn zoons nooit over de afspraak die hij gemaakt had en de jongens dachten er nooit aan hun vader te vragen hoe hij zoveel geld had kunnen sparen.
Tien jaren gingen voorbij, veel te vlug naar de zin van de man, maar zo is het leven. Zijn zoon de dokter, kwam hem op een regenachtige avond opzoeken. De wind huilde rond het huis en blies de rook terug in de schoorsteen.

'Ik geloof dat er geklopt wordt,' zei de dokter.
Toen zijn vader de deur opendeed stond de oude Satan daar, zonder een druppel regen op zijn mantel die bolstond in de wind.
'Wat is er aan de hand?' vroeg de dokter.
'Het is tijd om te gaan,' antwoordde de oude Satan.
En toen moest de vader wel voor de dag komen met het verhaal.
'Kletskoek!' zei de dokter. 'Mijn oude vader gaat nog niet dood. Ik heb hem kortgeleden nog helemaal onderzocht en hij is net zo gezond als ik!'
De oude Satan liet zich niet van de wijs brengen. 'Wie had het over doodgaan? Als je vader mijn slaaf wordt tot het einde der tijden, wil ik hem gezond en fit. Lichaam en ziel was de afspraak.'
'Geef hem nog een paar dagen,' smeekte de dokter. 'Mag hij mijn broer de priester nog even spreken voordat hij gaat?'
Misschien is de Duivel toch niet door en dóór slecht.
'Een priester haalt niets uit,' zei hij. 'Maar hij mag hem zien om afscheid van hem te nemen.'
En daarom liet de dokter zijn broer, de priester, halen en legde aan hem uit hoe de zaak ervoor stond.
'Laat dit maar aan mij over,' zei de priester.
En de oude man en zijn zoon zaten te wachten. Een dikke mist daalde neer rond het huis, probeerde een weg naar binnen te zoeken en kroop tenslotte door het sleutelgat. Toen er genoeg mist binnen was vormde er zich een man uit.

'Kom je nu?' vroeg de oude Satan.
'Niet zo haastig!' zei de priester. 'Mijn vader is een goede man. Geen cent van het geld dat je hem hebt gegeven heeft hij aan zichzelf besteed.'
'Dat kan me niet schelen,' zei Satan. 'Afspraak is afspraak!'
'Hier is wat geld dat over was,' zei de priester. 'Neem het vast mee en de rest zullen we nog terugbetalen.'
'Ik wil geen geld,' zei de oude Satan. 'Lichaam en ziel was de afspraak.'
'Kun je nog iets langer wachten zodat mijn andere broer naar huis kan komen om afscheid te nemen van mijn vader?'
'Ik kan wachten,' zei de Satan. 'Wat is een week vergeleken bij de eeuwigheid?'
Tenslotte arriveerde de jongste zoon, de advocaat. Buiten was het koud, zo koud dat je adem bevroor op het moment dat hij uit je mond kwam. Maar die hand die de man tien jaar daarvoor had aangeraakt was nog kouder geweest. Nauwelijks was de advocaat binnen, had zijn jas uitgetrokken en was bij het vuur gaan zitten, of de oude Satan verscheen.
'Nog even, alsjeblieft!' zei de advocaat. 'Ik heb nog niet de tijd gekregen om *hallo* te zeggen, laat staan *vaarwel*.'
De oude Satan aarzelde. Hij kende redelijk veel advocaten, en die waren veel te sluw.
'Zie je die kaars op tafel?' vroeg de advocaat. 'Geef ons de tijd totdat die kaars is opgebrand.'
De Duivel keek naar de kaars en zag dat die binnen een minuut of tien zou zijn opgebrand.
'Dat is goed,' knikte hij.
'Is dit een afspraak?'
'Ja,' zei de oude Satan terwijl hij ging zitten. 'Ik wacht.'

'Zou ik niet doen als ik jou was,' glimlachte de advocaat. 'Dat zou wel eens heel lang kunnen duren!' En toen doofde hij de vlam van de kaars en gaf de stomp aan zijn vader. 'Alsjeblieft, papa, bewaar dit goed.' En tegen de oude Satan zei hij: 'Afspraak is afspraak, of niet? Je raakt mijn vader niet aan tot die kaars is opgebrand.'
De oude Satan glimlachte en toen barstte hij in schaterlachen uit. Hij wist dat hij vierkant verslagen was.
De oude man hield het stompje kaars in zijn zak tot de dag waarop hij stierf en zijn drie zonen zorgden ervoor dat het mee begraven werd. En zo is hij naar de hemel gegaan, denk ik.
De priester was een goede man en de dokter een wijze, maar er was een advocaat voor nodig om de oude Satan te slim af te zijn. Maar denk niet dat jij hetzelfde kunstje kunt uithalen. Hij kent het nu. Als ik je een goede raad mag geven: bemoei je helemaal niet met de oude Satan. Moge de duivel je leven lang één stap bij je achterblijven!

De mensenetende reus

Op de top van de berg achter het dorp woonde een reus die een kudde schapen hield met gouden hoorns. Hij had tanden als de slagtanden van een wild zwijn en vingers als de klauwen van een adelaar en hij had maar één oog, in zijn voorhoofd.
De dorpelingen wisten dat hij mensen at, want niemand die de berg beklommen had was ooit teruggekomen om te vertellen wat hij er gezien had.
'Als niemand ooit is teruggekomen, hoe weten ze het dan?' vroeg Jeannot. 'Hoe weten ze dat de reus mensen eet? Hoe weten ze hoe hij eruitziet? Hoe weten ze zo zeker dat er een reus woont?'
Jeannots moeder wist niet hoe ze deze vragen moest beantwoorden. Ze zei alleen maar tegen Jeannot dat hij niet de berg op mocht klimmen om het zelf uit te zoeken. Dus deed de jongen dat niet – tenminste niet in het begin. Hij ging tot het eerste rotsblok. Voorzichtig gluurde hij erlangs. Hij zag geen reus, geen kudde schapen met gouden hoorns – hij zag helemaal niets vreemds.
De volgende dag ging hij een beetje verder – tot een groep bomen. Nog steeds niets. En zo, stap voor stap, dag na dag, klom Jeannot steeds verder de berg op, tot hij op een dag zo hoog was gekomen dat hij wist dat hij de hele weg terug zou moeten rennen als hij voor het donker thuis wilde zijn.

Plotseling zag Jeannot in het licht van de avondzon iets schitteren in het gras. Hij rende erheen en vond een glanzende goudkleurige, gekromde schaapshoorn. Hij raapte hem op. De hoorn was zo zwaar dat de jongen wist dat hij van goud moest zijn. Hoe lang konden zijn moeder en hij leven van zoveel goud? Een jaar? Een heel leven? Hij wist het niet, maar wat hij wel wist was dat waar één hoorn was, er wellicht nóg een zou kunnen zijn. Daarom stak hij de hoorn onder zijn arm en liep verder de berg op, op zoek naar meer rijkdommen. Om de volgende bocht zag hij een kudde schapen. De dieren stonden rustig te grazen. En elk schaap had een paar gouden hoorns.

Terwijl Jeannot daar nog stomverbaasd stond te kijken voelde hij dat hij opgetild werd. Iets had hem bij zijn bretels, iets met tanden als de

slagtanden van een wild zwijn, want
Jeannot zag ze toen hij nog hoger getild werd.
Iets met één oog midden op zijn voorhoofd!
'Gepakt!' brulde de reus. 'Lelijke dief!'
'Ik ben geen dief!' riep Jeannot. 'Ik vond de hoorn in het gras en wie iets vindt mag het houden!'
'Goed! Ik heb jou gevonden!' antwoordde de reus. 'En ik zal je houden – maar niet zo lang. Tot ik je opeet!'
Terwijl hij Jeannot nog steeds bij zijn bretels hield begon de reus zijn schapen bij elkaar te drijven naar hun hok. Toen ze allemaal binnen waren en de reus het hek op slot had gedaan, zette hij de jongen neer.

Hij maakte een vuurtje, doodde een van de schapen, stroopte het dier, roosterde het en at het op.
Daarna ging hij liggen en viel in slaap, terwijl Jeannot zat te bibberen bij het vuur en zich afvroeg wanneer hij aan de beurt was. Misschien als ontbijt! Hij moest vanavond zien weg te komen – maar hoe? Het hek zat op slot en de muren waren te hoog om eroverheen te klimmen.
Jeannot pakte een stok en pookte in het vuur. Terwijl hij dat deed zag hij dat het einde van de stok langzaam wegsmeulde, waardoor er een punt ontstond. Hij herinnerde zich wat zijn moeder had gezegd over het spelen met stokken met een punt eraan: 'Je kunt er iemands oog mee uitsteken!'
Jeannot keek naar de slapende reus met het ene oog in zijn voorhoofd. Toen blies hij in het vuur om het harder te laten branden en stak de stok erin tot het einde hard en puntig was als een speer. Heel voorzichtig kroop hij naar de reus en stak de punt door het ooglid in zijn oog. De schreeuw van pijn die de reus liet horen was genoeg om Jeannot zich te laten voornemen dat – als hij ooit veilig thuiskwam – hij nooit meer met puntige stokken zou spelen.
Jeannot hurkte neer en kroop weg tussen de schapen.
Morgenochtend, dacht hij, laat de reus ze uit het hok en dan kan ik ontsnappen.
Maar dat wist de reus natuurlijk ook. Toen het ochtend werd opende hij het hek net ver genoeg dat er één schaap tegelijk door kon. Strijkend over hun wollige vacht telde hij ze: 'een, twee, drie...'
Wat moest Jeannot nu doen? Zodra de schapen weg waren zou hij alleen met de reus overblijven in het hok.

'Achtentwintig, negenentwintig...'
Plotseling zag hij de huid liggen van het schaap dat de reus de avond ervoor geslacht had. Hij kroop erin – pfff, de huid stonk vreselijk! – en sloot achteraan aan bij de rij schapen die stond te wachten om het hek door te gaan.
'Drieënveertig, vierenveertig...' telde de reus. Toen hield hij op. Wat was dit? Een schaap? Hij voelde voorzichtig. Het was wollig als een schaap. Hij snoof. Het rook als een schaap – voor het grootste deel. Maar zat er ook een jongensgeur bij? De lange klauwen betastten het schepsel helemaal, gleden af naar zijn benen. En toen bengelde alleen maar de dode vacht in de vingers van de reus, omdat Jeannot de huid afgooide, door het hek stormde en pijlsnel de berg af rende. De reus kwam stampend achter hem aan, luisterend naar het geluid van de steentjes die wegschoten en hem zouden zeggen welke richting de jongen uit was gegaan.
Het geruis van de steentjes hield op.
De reus bleef staan, luisterde, snoof de lucht op terwijl Jeannot muisstil op zijn hurken zat....

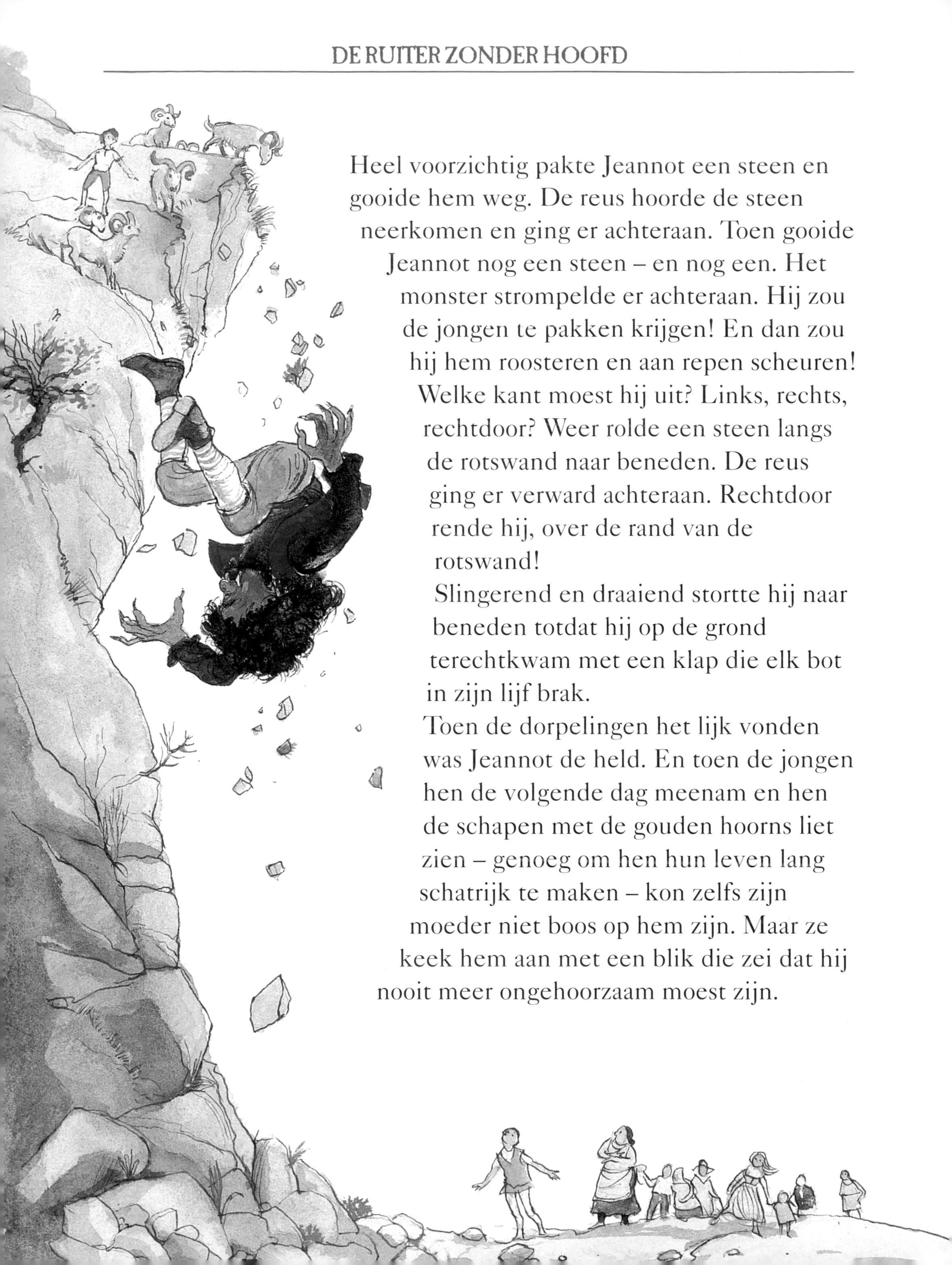

Heel voorzichtig pakte Jeannot een steen en gooide hem weg. De reus hoorde de steen neerkomen en ging er achteraan. Toen gooide Jeannot nog een steen – en nog een. Het monster strompelde er achteraan. Hij zou de jongen te pakken krijgen! En dan zou hij hem roosteren en aan repen scheuren! Welke kant moest hij uit? Links, rechts, rechtdoor? Weer rolde een steen langs de rotswand naar beneden. De reus ging er verward achteraan. Rechtdoor rende hij, over de rand van de rotswand!

Slingerend en draaiend stortte hij naar beneden totdat hij op de grond terechtkwam met een klap die elk bot in zijn lijf brak.

Toen de dorpelingen het lijk vonden was Jeannot de held. En toen de jongen hen de volgende dag meenam en hen de schapen met de gouden hoorns liet zien – genoeg om hen hun leven lang schatrijk te maken – kon zelfs zijn moeder niet boos op hem zijn. Maar ze keek hem aan met een blik die zei dat hij nooit meer ongehoorzaam moest zijn.

De weg naar Samarra

Een koopman uit Bagdad stond op een dag in zijn tuin te werken, toen zijn lievelingsbediende naar hem toe kwam. Het gezicht van de man was lijkbleek, zijn handen trilden en hij stond te wankelen op zijn benen.
De koopman liep vlug naar de bediende toe. Hij bracht hem naar een bank in de schaduw, haalde water voor hem uit de fontein en ging naast hem zitten.
'Wat scheelt eraan?' vroeg hij. 'Ben je ziek?'
De bediende schudde zijn hoofd.
'Wat is er dan? Zeg het maar als je kunt.'
Ten slotte begon de man praten. 'Meester,' zei hij, 'vanmorgen stuurde u me naar de markt om eten te kopen voor vanavond.'
De koopman knikte. 'Dat klopt. Ben je geschrokken van iets op de markt?'
De man huiverde. 'Ik zag daar de Dood staan. Hij keek me recht in mijn ogen! Meester, leen me een paard zodat ik weg kan rijden van hier, ver weg, naar een plek waar de Dood me niet zal vinden.'
De koopman mocht zijn dienaar graag, dus bracht hij er niets tegenin. Hij zei: 'Haal het beste paard van stal. Rij waarheen je wilt en blijf er zo lang het je daar bevalt. Maar waar ga je heen?'

'Ik heb een neef in Samarra,' zei de bediende. 'Daar ga ik heen. Dat is ver genoeg.'
De koopman bracht zijn dienaar naar de stal en hielp hem zijn mooiste paard zadelen, want de handen van de man trilden zo erg dat hij het in zijn eentje niet zou hebben klaargespeeld. De koopman gaf zijn bediende eten en geld voor onderweg en zwaaide de man uit toen die in galop naar Samarra vertrok waar de Dood hem niet zou vinden.
De koopman ging naar de markt en zag dat de Dood zich nog steeds in de menigte bevond. Hij zag dat niemand hem durfde aan te kijken en dat de mensen met een grote boog om hem heen liepen.
De koopman was een wijze man en niet bang om oog in oog met de Dood te staan. Hij ging naar hem toe en vroeg: 'Waarom heb je mijn bediende zo bang gemaakt toen hij vanmorgen hier kwam?'
De Dood glimlachte. 'Heb ik hem bang gemaakt?' vroeg hij. 'Het spijt me, ik wilde hem niet recht in zijn ogen kijken. Maar ik was zo verbaasd dat ik hem hier in Bagdad zag, terwijl ik wist dat ik hem vanavond in Samarra moest halen.'

Het elfenkind

Een soldaat was van het slagveld op weg naar huis. Langs de landweg liep hij vrolijk te fluiten, waardoor hij stevig doorstapte. Hij had de zeven zeeën bevaren, bergen beklommen en was dwars door woestijnen getrokken. Maar niets dat hij op al zijn reizen had gezien kon zijn hart blijer maken dan de aanblik van het huis waar hij was geboren, en zijn vader en moeder die hem stonden op te wachten bij de deur.

Hij was zeven jaar geleden van huis gegaan. Zes jaar geleden hadden ze geschreven dat zijn broertje was geboren.

Waar was de kleine jongen dan? Waar was hij?

Nog in zijn wieg? Met zes jaar?

'Loopt hij nog niet?' vroeg de soldaat.

'Nee, hij loopt nog niet,' zuchtte zijn moeder.

De soldaat boog zich over de wieg en keek naar het kind. Het kind keek strak naar hem terug. Kleine, glanzende, donkere ogen in een gezicht zo bruin en rimpelig als een walnoot.

'Praat hij wel?' vroeg de soldaat.

Zijn vader schudde zijn hoofd. 'Nee, hij praat niet.'

'Hij groeit ook niet,' zei zijn moeder. 'Hij eet als een volwassene, maar moet je hem zien! Broodmager, die arme schat!'

'Hij slaapt niet, weet je,' zei zijn vader. 'Elke nacht maakt hij ons wakker met zijn gehuil.'

De soldaat staarde naar het schepsel in de wieg en het schepsel keek terug met een blik die door en door slecht was.
'Ik weet wat jij bent,' mompelde de soldaat. 'Ik weet waarom jij niet loopt of praat, groeit of slaapt. Je bent een elfenkind. Mijn broertje is weggehaald door de feeën en ze hebben jou in zijn plaats achtergelaten. En daar wil je blijven, denk ik, als een koekoek in het nest. Mijn arme ouders worden mager van de zorgen om jou en belanden uiteindelijk in hun graf. Nou, dat zullen we nog wel eens zien!'
Wat kon hij doen? Hij kon niet tegen zijn ouders zeggen: 'Dit is mijn broertje niet. Dit is een elfenkind!' Niet nadat ze het schepsel zes jaar lang hadden vertroeteld en er veel zorgen om hadden gehad, en híj hem voor het eerst zag – net terug van het slagveld – en dacht dat hij het beter wist dan zij.

Hij kon het elfenkind ook niet meenemen en het op de koude berg achterlaten voor de feeën, want als die hun kind kwamen ophalen kon het van honger, dorst of kou gestorven zijn. En wat zou er dan met zijn broertje gebeuren?
'Ik heb jullie mooi te grazen, toch?' scheen het schepseltje te zeggen met zijn boosaardige ogen die op laarzenknoopjes leken.
Maar in het hoofd van de soldaat vormde zich een plan.
'Gaan jullie twee maar naar bed,' zei hij tegen zijn ouders. 'Slaap lekker vannacht. Ik blijf wel bij het kereltje zitten. Ik rook een pijp en misschien brouw ik een beetje bier voor mezelf.'
Daarom gingen zijn ouders naar bed. De soldaat zat zijn pijp te roken, voortdurend gadegeslagen door het schepsel met zijn kleine kraalogen.
Toen de soldaat zijn pijp gerookt had stond hij op en rekte zich uit.
'Tijd voor een beetje bier,' zei hij.

Hij pakte een ei en brak het. Toen gooide hij het binnenste weg en bewaarde de schaal.
'Wat doe ik nu?' mompelde de soldaat. 'Ik weet het!' Hij liep de tuin in en kwam terug met een hopbloem.
Het schepsel zat intussen rechtop in de wieg en keek naar hem. De soldaat liep naar de kast en haalde er drie gerstekorrels uit. Die stopte hij met de hopbloem in de eierschaal en vulde hem met water.
Het schepsel bleef naar hem kijken, hangend over de rand van de wieg, om te zien wat hij nu weer ging doen.
De soldaat pakte de haardtang, klemde de eierschaal er voorzichtig tussen en legde de tang in het vuur.
'Ik ben oud, ik ben stokoud, wel driehonderd jaar of meer, maar bier, gebrouwen in een eierschaal, heb ik nog nooit gezien!' zei het schepsel.
'O, je bent dus oud?' zei de soldaat. 'En je kunt lopen, hè? En je kunt praten en zingen?'
Hij gooide de eierschaal met het kokende water naar het boze kereltje. Het schepsel zong niet. Hij huilde ook niet als een kind. Hij krijste als een fluitketel die te lang op het vuur heeft gestaan, als een spook dat met veel gejammer een sterfgeval aankondigt.

Dit werd gehoord door de feeën in de bergen. Het werd ook gehoord door de vader en moeder van de soldaat, knus in hun bed, ontwakend van hun eerste nacht lekker slapen sinds een eeuwigheid.
Ze kwamen naar beneden en waren stomverbaasd.
Daar danste het schepsel dat nooit op zijn benen had gestaan, noch een woord had gezegd, door de kamer. Het jammerde met zijn spookstem en riep scheldnamen tegen hun zoon, de soldaat, die niet geschikt zijn om hier te herhalen. Toen begon hij rond te draaien als een tol, steeg op en verdween in de schoorsteen.
Op de plaats die hij verlaten had stond opeens een jongetje van een jaar of zes met blond haar, roze wangen en heldere ogen zoals de soldaat altijd had gedacht dat zijn broertje eruit zou zien. En hij kon lopen en praten. Praten! Hij kletste je de oren van je hoofd tot je ervan suizebolde. Hij praatte over alles waarover maar gepraat kan worden, behalve over de zes jaar die hij bij de feeën had doorgebracht. Daarover heeft hij nooit ook maar één woord gezegd.

Vasilissa en Baba Yaga

In een huisje aan de rand van het woud woonde Vasilissa met haar vader. Ze waren heel gelukkig. Op een dag bracht de vader een nieuwe vrouw mee naar huis.
'Ze zal je gezelschap houden als ik er niet ben,' zei hij.
Vasilissa had al gezelschap van haar pop. Die gaf het meisje altijd goede raad.
'Het is niet erg,' zei de pop. 'We moeten er het beste van maken, dat is alles.'
Vasilissa probeerde er het beste van te maken, maar haar stiefmoeder was een vreselijke vrouw. Als de vader thuis was, was ze poeslief, maar zodra de deur achter hem dichtviel veranderde ze totaal. Die arme Vasilissa moest het huis schoonmaken, de was doen, eten koken, hout sprokkelen en als er ook maar iets fout ging was het altijd haar schuld – zelfs als het vuur uitging terwijl de stiefmoeder ernaast zat te dutten.
Op een dag zei de vrouw tegen Vasilissa: 'We hebben wat vuur nodig om de haard aan te maken. Je kunt het halen bij mijn zuster. Ze woont in het woud.'
Zelfs midden op de dag was het woud donker en griezelig.
'Er woont niemand in het woud,' fluisterde Vasilissa. 'Behalve Baba Yaga, de heks. Haar ogen zijn een paar gloeiende kolen en ze eet mensen!'

De stiefmoeder lachte gemeen. 'En wat dan nog?' riep ze terwijl ze Vasilissa de deur uit duwde.
'Maak je niet druk,' fluisterde de pop in Vasilissa's zak. 'Ik zorg wel voor je.'
En zo ging Vasilissa over het pad het diepe donkere woud in. Ze had nog niet zo lang gelopen, toen ze iets op het pad zag liggen dat van verre leek op een knipperend oog.
'Niet bang zijn,' zei de pop. 'Een oog doet je geen kwaad.'
Maar toen Vasilissa dichterbij kwam, zag ze dat het helemaal geen oog was, maar een flesje olie.
'Raap het op,' zei de pop. 'Het komt je misschien van pas.'
Vasilissa raapte het flesje olie op en stopte het in haar zak. Een eindje verder zag ze een bloedspoor.
'Het is alleen maar bloed,' zei de pop.
Toen Vasilissa dichterbij kwam zag ze dat het geen bloed was, maar een stuk rood lint.
'Neem mee, je weet niet hoe het nog van pas komt,' zei de pop.

Dus bond Vasilissa het lint in haar haar en liep steeds dieper het woud in. Het was er zo donker dat ze bijna struikelde over het ronde, witte ding dat midden op het pad lag. Een schedel?
'En wat dan nog?' zei de pop. 'Hij zal je niet bijten.'
Maar toen Vasilissa beter keek zag ze dat het helemaal geen schedel was, maar een halfje brood.
'Meenemen?' vroeg Vasilissa terwijl ze het opraapte. 'Je weet maar nooit!'
'Misschien heb je er iets aan,' stemde de pop in.
Ze liepen door en toen Vasilissa een paar vleesresten op het pad vond aarzelde ze niet. Ze raapte ze op en draaide ze in haar zakdoek.
'Flinke meid,' zei de pop. 'Je leert snel!'
De avond viel en ze kwamen bij een huis. Hoewel het donker was in het bos, was het rond het huis zo licht als overdag. Toen Vasilissa dichterbij kwam kon ze zien dat de omheining rond het huis was gemaakt van menselijke botten, en op elk paaltje stond een mensenschedel, waarin een lichtje brandde.

Toen Vasilissa zag dat het huis op twee kippenpoten stond, wist ze dat ze bij het huis van Baba Yaga was gekomen, de heks die de zuster was van haar stiefmoeder.
Het hek piepte en kraakte toen Vasilissa het wilde openduwen.
'Goed dat we olie bij ons hebben,' zei de pop.
Vasilissa smeerde de scharnieren en het hek zwaaide uit zichzelf open om haar binnen te laten, maar het meisje raakte verward in de takken van een berkenboom die achter het hek stond.
'Wat nu?'
'Wat nu?' herhaalde de pop. 'Misschien kun je het stuk lint gebruiken dat je hebt opgeraapt.'
Vasilissa trok het lint uit haar haar en bond daarmee de takken bij elkaar. Maar nauwelijks was ze klaar of een hond sprong naar buiten. Hij blafte en liet zijn tanden zien. Vasilissa gooide het halve brood naar de hond en hij ging liggen om het rustig op te eten.
Vasilissa liep naar de deur en klopte aan. Een kat deed open, even schurftig en hongerig als de hond.
'Hallo,' zei Vasilissa. 'Is Baba Yaga thuis?'
'Je hebt geluk,' zei de kat. 'Ze is er niet.'

'Mijn stiefmoeder stuurde me om wat vuur,' zei Vasilissa. 'Ik kan niet zonder vlammetje thuiskomen. Wil jij me helpen?'
'Vlammetjes zijn mijn zaak niet,' zei de kat. 'Maar muizen wel. Ik sterf van de honger als ik er niet gauw een vang. Baba Yaga geeft me nooit te eten.'
'Ik heb wat vleesresten in mijn zakdoek,' zei Vasilissa. 'Hou je van vlees?'
'Hou ik van vlees!' zuchtte de kat. 'Is de zee zout? Is de lucht blauw? Natuurlijk hou ik van vlees!'
Vasilissa gaf het vlees en de kat zei: 'Bedankt. Neem maar een van de schedels mee. Er brandt een lichtje in elke schedel. En ga er dan vlug vandoor, want ik hoor Baba Yaga aankomen.'
Op hetzelfde moment dat Vasilissa een schedel van een paaltje griste kwam Baba Yaga thuis. Ze zeilde door de lucht in haar vijzel met stamper, want zo reisde ze altijd. Ze zag meteen dat er een schedel ontbrak. Wie had hem meegenomen?

De kat keek op, terwijl ze op het vlees zat te kauwen. ‘Ik heb hem aan Vasilissa gegeven,’ zei ze. ‘Ik heb vlees van haar gekregen terwijl jij me nooit iets geeft.’
‘Waarom hebben jullie haar niet tegengehouden?’ riep Baba Yaga tegen de hond, de berkenboom en het hek.
‘Vasilissa heeft me brood gegeven,’ antwoordde de hond. ‘Jij hebt me alleen maar geschopt en geslagen in al die jaren dat ik je waakhond was.’

'Je hebt nooit gezien hoe mooi ik was,' zuchtte de berk, 'maar Vasilissa heeft me nog mooier gemaakt met het rode lint.'
'Het leven is nu zo gemakkelijk,' mompelde het hek, 'sinds Vasilissa mijn scharnieren gesmeerd heeft. Maak je niet zo druk, Baba Yaga. Je krijgt haar toch niet.'
Baba Yaga klom in haar vijzel, begon woest te peddelen met haar stamper en vloog schreeuwend door de lucht, op zoek naar Vasilissa. Iedereen sloot zijn luiken en vergrendelde zijn deuren tegen de wervelwind. Vasilissa rende en rende, en was thuis voordat Baba Yaga haar had ingehaald.
'Hier ben ik, stiefmoeder,' zei Vasilissa. 'Ik heb wat vuur gehaald, zoals u vroeg.' Ze hield de schedel omhoog en het licht in de ooggaten begon feller te branden. De stiefmoeder sloeg haar handen voor haar gezicht, maar het lichtje werd een felle vlam waarin de stiefmoeder verdween. Een hoopje as was alles wat van haar overbleef. De deur vloog open en de wind nam de as mee.
Daarna leefden Vasilissa met haar vader weer rustig in het huisje aan de rand van het woud. En als haar vader weg moest hield de pop haar gezelschap, net als vroeger.

Roep: 'Wolf!'

Dag in dag uit zat de jongen op de berg en waakte over de schapen. Dat deed hij niet omdat hij het leuk vond. Schapen hoeden was saai. Maar iemand moest het doen en hoewel hij oud genoeg was om te werken, was hij niet groot genoeg om iets anders te doen.
Dus zat hij daar en paste op de schapen.
'Waarom moet ik dit doen?' vroeg hij de herder.
'Voor het geval de wolf komt en een schaap probeert te stelen als avondmaal.'
'Wat moet ik dan doen?'
'Dan roep je "Wolf, Wolf!" zo hard je kunt en dan komen de mensen uit het dorp om de wolf weg te jagen.'
De jongen zat zich te vervelen en hoopte bijna dat de wolf zou komen.
Stel dat de wolf inderdaad kwam en hij riep uit alle macht: 'Wolf! Wolf!' en niemand hoorde hem, niemand kwam?
Hij moest ervoor zorgen dat ze hem hoorden. Dus klom de jongen op een rots, keek naar het dorp in het dal en begon te roepen: 'Wolf! Wolf!'
De dorpelingen hoorden hem. Ze grepen stokken en stenen, hamers en schoppen en stormden razendsnel de berg op om de wolf te verjagen.
Ze vonden het niet prettig toen ze merkten dat er geen wolf was.

'Ik wilde alleen maar zeker weten dat jullie me konden horen,' zei de jongen.
Mopperend en brommend gingen de dorpelingen weer weg.
De volgende dag verveelde de jongen zich opnieuw. Hij herinnerde zich hoe leuk het was om de dorpelingen de berg op te zien stormen toen hij 'Wolf!' had geroepen. En hij deed het opnieuw.
'Wolf!' riep hij. 'Wolf! De wolf is er!'
Struikelend over de rotsblokken stormden de mannen met stokken en schoppen de berg weer op.
'Ik dacht dat ik een wolf zag,' zei de jongen. 'Maar het was er geen. Het spijt me.'
Maar het speet hem niet echt. Hij bedacht hoe gemakkelijk het was geweest ze allemaal de berg op te laten rennen en lachte zachtjes.
De volgende dag deed hij het weer, én de volgende en elke dag

daarna en soms zelfs twee keer op een dag.

Intussen lag de wolf in de buurt op de loer. De eerste keer dat hij de jongen 'Wolf!' hoorde roepen sprong hij geschrokken op, maar hij hoefde niet weg te rennen want er kwam niemand. De tweede keer lag hij doodstil in de schaduw, maar er kwam nog niemand. De wolf kroop steeds dichter naar de jongen toe. Elke dag een stukje.

De wolf zag dat de dorpelingen er elke keer iets langer over deden om de berg op te rennen met hun stokken en schoppen.

En zodra ze weer naar beneden gingen kroop hij weer een stukje dichterbij.

Daarom wachtte de wolf voorzichtig totdat –
'Wolf! Wolf!' riep de jongen van boven op de berg. De dorpelingen in het dal hoorden hem heel goed. Ze keken elkaar aan en glimlachten.
'We zullen die jongen eens een lesje leren,' zeiden ze. Ze haalden hun schouders op en gingen door met hun werk.
'Wolf! Wolf!' schreeuwde de jongen opnieuw. De echo kwam terug uit het dal: 'Wolf, Wo-o-o-o-olf!'
Daarna bleef het stil.
Toen de herder de schapen 's avonds kwam halen waren ze er allemaal en ze stonden vredig te grazen. Geen spoor van een wolf. Maar ook geen spoor van de jongen!

Einde